*Widmung für zwei
kleine Fräuleins

Für das kleine Fräulein
Feli
und für das kleine Fräulein
Paula*

Sich selbst mit Vorliebe als Geschichtenerzähler bezeichnend, gilt **Otfried Preußler** (Jahrgang 1923) als einer der namhaftesten und erfolgreichsten Autoren Deutschlands. Viele seiner Bücher wie *Die kleine Hexe* oder *Der Räuber Hotzenplotz* haben einen festen Platz in den Kinderzimmern auf der ganzen Welt. *Der kleine Wassermann* ist die erste Kinderbuchfigur, die der Autor 1957 erfunden hat. Der Klassiker erreichte bisher eine Gesamtauflage von über 2,3 Mio. Exemplaren. Nun beschenkt Otfried Preußler – zusammen mit seiner Tochter **Regine Stigloher** – seine Leser mit einer neuen, erstmals veröffentlichten Bilderbuchgeschichte.

Daniel Napp (Jahrgang 1974) studierte in Münster Grafikdesign. Schon während seines Studiums wurde er mehrfach ausgezeichnet. Er arbeitet als freier Illustrator in einer Ateliergemeinschaft in Münster und hat bereits zahlreiche Bilder- und Kinderbücher illustriert. Sein außergewöhnliches Talent ist auch international erkannt worden, wie zahlreiche Übersetzungen seiner im Thienemann Verlag erschienenen *Dr. Brumm*-Bilderbücher beweisen.

Preußler, Otfried und Napp, Daniel:
Der kleine Wassermann – Frühling im Mühlenweiher
ISBN 978 3 522 43678 6

Text: Otfried Preußler, Regine Stigloher
Bilder: Daniel Napp in Anlehnung an die
Kinderbuchillustrationen von Winnie Gebhardt
Einband- und Innentypografie: Doris Grüniger,
Buch und Grafik, Zürich
Schrift: Stone Informal
Reproduktion: Photolitho AG, Gossau/Zürich
Druck und Bindung: Himmer AG, Augsburg
© 2011 by Thienemann Verlag
(Thienemann Verlag GmbH), Stuttgart/Wien
Printed in Germany. Alle Rechte vorbehalten.
12 11 10 9 8°   13 14 15 16

www.thienemann.de
www.preussler.de
www.daniel-napp.de

Otfried Preußler · Regine Stigloher

DER KLEiNE WASSERMANN

Frühling im Mühlenweiher

Mit Bildern von Daniel Napp

THIENEMANN

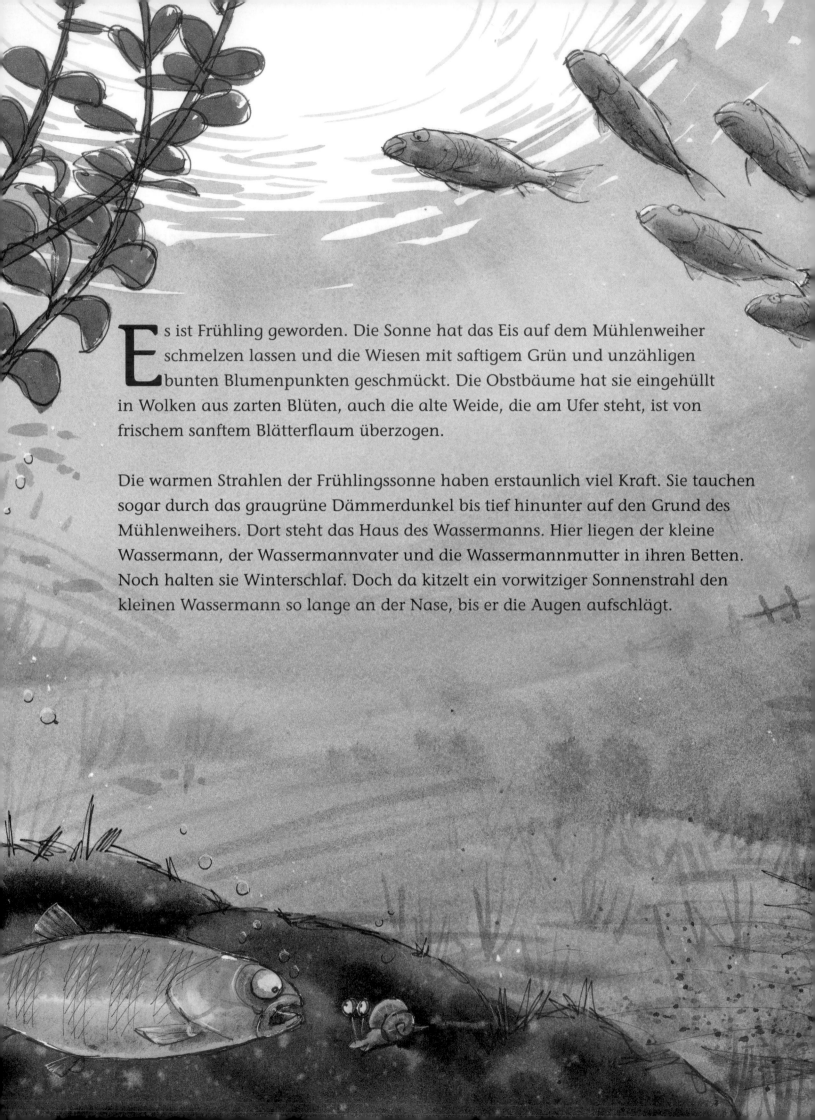

Es ist Frühling geworden. Die Sonne hat das Eis auf dem Mühlenweiher schmelzen lassen und die Wiesen mit saftigem Grün und unzähligen bunten Blumenpunkten geschmückt. Die Obstbäume hat sie eingehüllt in Wolken aus zarten Blüten, auch die alte Weide, die am Ufer steht, ist von frischem sanftem Blätterflaum überzogen.

Die warmen Strahlen der Frühlingssonne haben erstaunlich viel Kraft. Sie tauchen sogar durch das graugrüne Dämmerdunkel bis tief hinunter auf den Grund des Mühlenweihers. Dort steht das Haus des Wassermanns. Hier liegen der kleine Wassermann, der Wassermannvater und die Wassermannmutter in ihren Betten. Noch halten sie Winterschlaf. Doch da kitzelt ein vorwitziger Sonnenstrahl den kleinen Wassermann so lange an der Nase, bis er die Augen aufschlägt.

Guten Morgen«, begrüßt der kleine Wassermann seine Eltern fröhlich. Er reckt und streckt sich, dann springt er aus dem Bett. Rasch schlüpft er in seine grüne Hose aus glänzender Fischhaut, zieht die Jacke und die gelben Stiefel an und setzt sich die knallrote Zipfelmütze auf. Neugierig schwimmt er durch alle Zimmer und schaut aus allen Fenstern. Was sich wohl verändert haben mag in der langen Zeit seit dem letzten Herbst?

Das Wassermannhaus ist ein Haus wie jedes andere, nur dass überall Wasser ist, im Schlafzimmer, in der Küche, ja sogar auf dem Gang und im Wohnzimmer. Und ein bisschen kleiner ist es als die Häuser im Dorf in der Nähe des Mühlenweihers. Aber das ist kaum verwunderlich, denn Wassermänner sind ja auch kleiner als Menschen.

Das war gut«, lacht der kleine Wassermann, als er sein Frühstück aus Wassernüssen und frischer Forellenmilch gegessen hat. »Darf ich jetzt nachsehen, wie es dem Karpfen Cyprinus und all den anderen Teichbewohnern geht?«

Der Mutter ist das nicht ganz recht, denn eigentlich sollte der kleine Wassermann sein Bett gemacht haben, bevor er zum Spielen hinausgeht. Doch der Wassermannvater legt ein gutes Wort für seinen Jungen ein, schließlich erwacht man nicht alle Tage aus dem Winterschlaf. »Aber du bleibst im Weiher und bist pünktlich zum Mittagessen wieder zu Hause.«

»Versprochen«, ruft der kleine Wassermann, der schon fast zur Haustür hinaus ist.

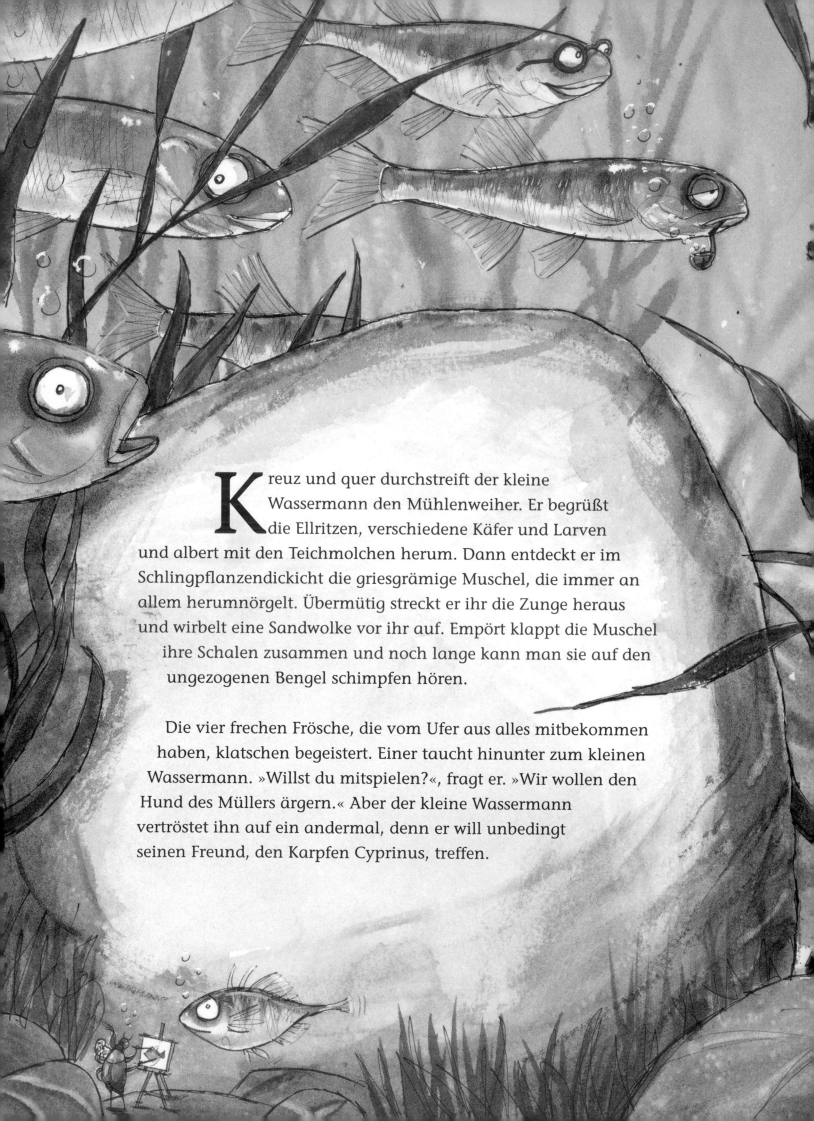

Kreuz und quer durchstreift der kleine Wassermann den Mühlenweiher. Er begrüßt die Ellritzen, verschiedene Käfer und Larven und albert mit den Teichmolchen herum. Dann entdeckt er im Schlingpflanzendickicht die griesgrämige Muschel, die immer an allem herumnörgelt. Übermütig streckt er ihr die Zunge heraus und wirbelt eine Sandwolke vor ihr auf. Empört klappt die Muschel ihre Schalen zusammen und noch lange kann man sie auf den ungezogenen Bengel schimpfen hören.

Die vier frechen Frösche, die vom Ufer aus alles mitbekommen haben, klatschen begeistert. Einer taucht hinunter zum kleinen Wassermann. »Willst du mitspielen?«, fragt er. »Wir wollen den Hund des Müllers ärgern.« Aber der kleine Wassermann vertröstet ihn auf ein andermal, denn er will unbedingt seinen Freund, den Karpfen Cyprinus, treffen.

Der Karpfen Cyprinus ist schon ein alter Herr, hat Moos auf dem Rücken und liebt es, während des Schwimmens stillvergnügt vor sich hin zu blubbern. Der kleine Wassermann findet ihn in einer flachen Kuhle am Rand des Weihers, wo das Wasser wärmer ist.

»Hallo, Cyprinus«, begrüßt ihn der Wassermannjunge, »geht es dir gut?«
»Das kann man wohl sagen«, blubbert dieser, »bei meinen alten Gräten, wie könnte es auch anders sein, es ist Frühling! Da fühlt unsereins sich bestens: von der Schwanzflosse bis zu den Barthaaren! Wenn du Lust hast, lad ich dich bis zum Mittagessen auf einen Ritt durch den ganzen Weiher ein. Los, steig auf!«

Die Wassermannmutter macht am Vormittag einen gründlichen Frühjahrsputz: Sie streut frischen weißen Sand auf die Böden im ganzen Wassermannhaus, sie wäscht einen Berg Wäsche und putzt die Fenster, dann eilt sie in die Küche und klappert geschäftig mit Töpfen und Pfannen. Schließlich soll es nach der langen Winterpause ein richtiges Festmahl geben.

Der Wassermannvater untersucht inzwischen das ganze Haus nach schadhaft gewordenen Stellen. Er repariert ein Loch in der Außenwand und stellt fest, dass wohl das ganze Dach mit neuem Schilf gedeckt werden muss. Anschließend schaut er auf seinen Feldern und Wiesen im Mühlenweiher nach dem Rechten.

Zur Feier des Tages gibt es zu Mittag lange Algennudeln mit roter Froschlaichsoße, dazu einen Salat aus Dotterblumenstängeln und zum Nachtisch eine große Schüssel eingelegte Seerosenblätter.

Danach schwimmen der kleine Wassermann, der Wassermannvater und die Wassermannmutter Hand in Hand ans Ufer des Mühlenweihers. »Es sieht alles ganz anders aus als im letzten Herbst«, staunt der kleine Wassermann. Doch dann erschrickt er: »Schaut nur, wir sind womöglich viel zu früh aufgewacht, es schneit!«
»Nein«, beruhigt ihn der Vater, »das sind nur die Blütenblätter der Bäume, die der Wind vor sich her treibt.«

Vieles hat sich verändert am Mühlenweiher. »Ich sehe was, was du nicht siehst«,
beginnt der Wassermannvater das Lieblingsspiel des kleinen Wassermanns:

»Der Müller hat einen neuen Steg gebaut.«

»Ja«, ergänzt die Wassermannmutter, »und den Kahn hat er auch
frisch gestrichen!«

»Auf der kleinen Schilfinsel brütet eine Ente«, ruft der
kleine Wassermann.

Bloß Bello, der Hofhund, liegt wie immer vor der Mühle und döst in der Sonne.

»Komm ihm nicht zu nahe«, warnt der Wassermannvater.

»Am besten, du hältst dich ganz von den Menschen fern.«

»Und ich soll aufpassen, dass ich keine trockenen Füße bekomme, soll die Mühle meiden und wenn die Glocke am Kirchturm so oft schlägt, wie ich Finger an der Hand hab, muss ich heimkommen«, ahmt der Wassermannjunge die Stimme der Mutter nach. Da müssen alle drei lachen.

Während die Wassermannmutter die frisch gewaschene Wäsche in der Sonne bleichen lässt, schneidet der Vater am Ufer ein paar Schilfhalme für das Dach des Wassermannhauses.

Den ganzen Nachmittag hat der kleine Wassermann am Ufer des Mühlenweihers gespielt. Nun trollt er sich auf die andere Seite und klettert auf die alte Weide. Hoch oben setzt er sich auf einen Ast, baumelt vergnügt mit den Beinen und hält nach seinen Freunden, den Jungen aus dem Dorf, Ausschau. Ob sie auch schon aus ihrem Winterschlaf aufgewacht sind?, überlegt er sich gerade, als er von wütendem Hundegebell aufgeschreckt wird.

O je, die frechen Frösche, übermütig wie sie nun mal sind, wollen Bello, den Hund des Müllers, ärgern. Dabei haben sie dummerweise übersehen, dass der heute nicht wie üblich an der Leine liegt! Nun jagt er laut kläffend den vieren nach.

Wie alle Wassermänner hat auch der kleine Wassermann schreckliche Angst vor Hunden. Aber er muss seinen Freunden doch irgendwie zu Hilfe kommen, denn schon hat Bello nach dem jüngsten Frosch geschnappt!

Da hört der kleine Wassermann die Ente, die auf der Schilfinsel brütet, aufgeregt schnattern. Und es kommt ihm der rettende Gedanke. Er fackelt nicht lange. Mutig springt er von der alten Weide ins Wasser.

So schnell er kann, schwimmt der kleine Wassermann in die Nähe des Enterichs, der gerade im seichten Wasser nach Fressen sucht. »Siehst du nicht, was los ist?«, ruft er ihm schon von Weitem zu. »Bello hat es auf euer Nest abgesehen!«

Wie es sich für einen guten Entenvater gehört, macht der Erpel sich sofort daran, seine Frau und die Brut zu verteidigen. Wild schreiend stürzt er sich auf den Hund. Mit Fauchen, mit Bissen und wildem Flügelschlag treibt er Bello in die Flucht.

Da haben wir aber noch mal Glück gehabt«, bedanken sich die Frösche beim kleinen Wassermann. »Wir werden heute Abend ein besonders schönes Schlaflied für dich singen.«

Jetzt erst merkt der Wassermannjunge, wie müde er plötzlich ist, und macht sich auf den Heimweg, obwohl die Kirchturmuhr noch gar nicht fünfmal geschlagen hat.

»War das ein aufregender Tag«, sagt der kleine Wassermann zur Mutter, als er nach dem Abendessen in seinem Bett liegt. »Jetzt will ich nur noch schlafen, aber ich freu mich schon sehr auf morgen!«

»Das ist gut so«, antwortet die Mutter, »dann wünsch ich dir helle Träume. Gute Nacht, kleiner Wassermann.«